World

Rie Aruga

1

Perfect World
Rie Aruga

Remerciements particuliers à Kazuo Abe (SARL Abe Construction)

Sommaire

Chapitre
1

Des
retrouvailles
inattendues

ON N'A JAMAIS ÉTÉ DANS LA MÊME CLASSE, NI DANS LE MÊME CLUB.

MAIS ON AIMAIT BIEN DISCUTER, TOUS LES DEUX.

CHACUN AVAIT UN RÊVE BIEN À LUI : AYUKAWA VOULAIT DEVENIR ARCHITECTE ET MOI, ILLUSTRATRICE.

À L'ÉPOQUE, ON VIVAIT À LA CAMPAGNE, AU MILIEU DES MONTAGNES.

Ha ha !

EH, TU TE MOQUES DE MOI ?!

NON, C'EST LA VÉRITÉ

TU ÉTAIS TELLEMENT LENTE, AUTREFOIS ...

BAH MOI, CE QUI ME SURPREND SURTOUT, C'EST QUE TU AIES PU INTÉGRER UNE GROSSE BOÎTE COMME CRANBERRIES

J'Y CROIS PAS !

TU TRAVAILLES POUR KODAN ?

JE VAIS SALUER LES AUTRES

DE QUOI TU PARLES, ENFIN ?!

TU TE CHERCHAIS BIEN UN COPAIN, NON ?

ALORS ? T'ATTENDS QUOI, POUR ME REMERCIER ?

B/A

DANS LE CADRE DU BOULOT, C'EST PAS LA PEINE

PSST PSST

MOI AUSSI, FIGURE-TOI !

B/A

HEIN ...

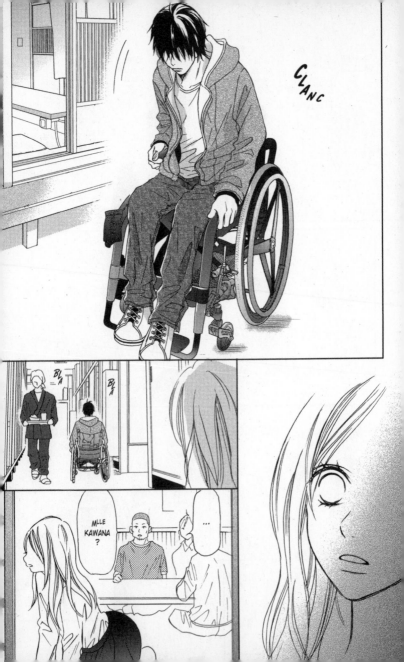

CE GENRE DE DÉMARCHE COÛTE BONBON...

MAIS LE PROJET D'AYUKAWA A UN SACRÉ POTENTIEL ALORS...

ON A DÉCIDÉ DE TENTER LE COUP

C'EST AYUKAWA, LE CHEF DE PROJET

ON EST QUATRE, DANS L'ÉQUIPE

Ssss...

AH BON ?

C'EST DANS LE CADRE DU RÉAMÉNAGEMENT DE SAKURA-GAOKA

ILS ONT LANCÉ UN APPEL POUR LE NOUVEAU CENTRE CULTUREL MUNICIPAL

ON A POSÉ NOTRE CANDIDATURE

IL EN A PARLÉ, À LA SOIRÉE...

SAKU-RAGA-OKA ?

"UN SACRÉ POTENTIEL"...

OUAIS

MAIS PAS AUJOURD'HUI

Aïe...

DU COUP, TU RENTRES SOUVENT TARD, J'IMAGINE

AVEC PLAISIR

ÇA TE DIT, UNE BOUFFE ENSEMBLE ?

MAIS JE LE SUIS

ON DIRAIT UN PRO !

AYU-KA-WA...

IL A VRAIMENT QUELQUE CHOSE...

EH BEN, TOUT ÇA...

ON ÉTAIT JEUNES

OUH LÀ LÀ ... LA HONTE

IMAGINE, ON ÉTAIT ENCORE EN UNIFORMES !

C'EST QUAND LA DERNIÈRE FOIS QU'ON S'EST PARLÉ COMME ÇA, TOUS LES DEUX ? ÇA REMONTE AU LYCÉE, FORCÉMENT !

OUI

DIS, AYUKAWA...

...ÇA NE NOUS RAJEUNIT PAS !

IL SAVAIT TRÈS BIEN CE QU'IL VOULAIT...

ET ÇA M'AGAÇAIT, PARFOIS.

MAIS JE L'ADMIRAIS AUSSI ÉNORMÉMENT...

QUAND IL A EU UNE COPINE...

ON S'EST MOINS VUS, FORCÉMENT...

ET ÇA A DURÉ JUSQU'À LA FIN DU LYCÉE.

POURQUOI ÇA M'AVAIT FAIT AUSSI MAL.

À L'ÉPOQUE, JE N'AI PAS COMPRIS...

T'AS VU ÇA ? AYUKAWA ET MIKI SORTENT ENSEMBLE !

SÉRIEUX ?!

J'Y CROIS PAS !!

NAAN !!

MOI, J'AI LAISSÉ TOMBER

J'AI ABANDONNÉ LA PEINTURE

PARDON ?

TU AVAIS UN RÊVE ET TU L'AS RÉALISÉ

JE TE TROUVE ADMIRABLE, AYUKAWA

POUR-TANT ...

JE ME SUIS SATISFAITE D'UNE SIMPLE EXPO DE CAMPAGNE

J'ÉTAIS PERSUADÉE D'AVOIR RÉUSSI ...

QUAND MON ŒUVRE DE TERMINALE A ÉTÉ CHOISIE POUR UNE EXPOSITION LOCALE ...

JE CONTINUE D'APPRENDRE, DE PRO-GRESSER ...

ET J'ESPÈRE QU'UN JOUR, JE POURRAI DEVENIR DESIGNER ...

JE CROIS QUE CETTE EXPÉRIENCE NE M'A PAS ÉTÉ SI INUTILE, DANS LE FOND

JE VIENS ICI SOUVENT, COMME C'EST JUSTE À CÔTÉ DE LA BOÎTE...

OH !

ÇA A L'AIR PAS MAL

ON Y EST

MES COLLÈGUES AUSSI EN ONT FAIT LEUR CANTINE

ALLONS-Y

CLONC

BONSOIR

BONSOIR, M. AYUKAWA !

VOUS POUVEZ M'AIDER ?

MAIS BIEN SÛR

ET C'EST PAREIL AU BOULOT

MÊME POUR UNE CHOSE AUSSI INFIME QUE LA MARCHE DE TOUT À L'HEURE, J'AI BESOIN D'AIDE

TU AS VU ?

JE VOUS REMERCIE

JE VOUS EN PRIE ! LA TABLE DU FOND VOUS CONVIENT ?

ÇA GÊNE CERTAINS CLIENTS, BIEN SÛR

JE SUIS HANDICAPÉ, JE NE VAIS PAS LE NIER

ALORS JE VEUX PROUVER AU MONDE QUE JE SUIS CAPABLE DE MENER MA BARQUE SEUL, OU PRESQUE

LE FAIT QUE J'AI SANS CESSE BESOIN D'ASSISTANCE ... PEU DE GENS ME FONT CONFIANCE, DU COUP

C'EST D'AILLEURS CE QUI M'A POUSSÉ À PARTICIPER À CET APPEL À PROJETS

MOI AUSSI, CE SERAIT BIEN QUE JE M'ACCROCHE DAVANTAGE ...

...

JE COMPRENDS

TAC

TAC

SI AVEC L'ÉQUIPE, ON GAGNE L'APPEL À PROJETS ...

ÇA SERAIT BIEN !

J'ESPÈRE QU'ON POURRA TRAVAILLER ENSEMBLE, TOI ET MOI

AYU-KAWA ...

OH ... MLLE KAWANA ?!

SALUT, NABE

C'EST QUAND, LA DATE LIMITE ?

BONSOIR !

FIN MAI

EH BEN !

VOUS NE PERDEZ PAS DE TEMPS, TOUS LES DEUX !

JE T'APPORTERAI DES TRUCS À GRIGNOTER, HISTOIRE DE TE MOTIVER

JE VOUS LAISSE TRANQUILLES ♪

EUH...

NON, NE VOUS EMBÊTEZ PAS POUR MOI ♥

tou-jours céliba-taire.

J'ai 35 ans...

TU MANGES AVEC NOUS ?

MAIS...

HEIN ?

QUAND D'ANCIENS AMIS SE RETROUVENT...

L'AMOUR A VITE FAIT DE POINTER LE BOUT DE SON NEZ

Hé hé

VOUS VOUS MÉPRENEZ...

MAIS NON, VENEZ !

CE N'EST PAS UN DÎNER EN TÊTE À TÊTE !

ZUT...

OH...

HM ?

DANS CE CAS...

MES MOTS ONT TRAHI MA PENSÉE.

RASSURE-TOI

C'EST VRAI QUE ...

PARFAIT !

UNE JOURNÉE, JE PENSE

IL TE FAUT COMBIEN DE TEMPS POUR BOUCLER TES PLANS ?

DANS CE CAS, JE DEMANDE À SAWADA DE COMMENCER LA MAQUETTE

IMPOSSIBLE.

JE NE M'IMAGINE PAS TOMBER AMOUREUSE D'UNE PERSONNE HANDICAPÉE.

AYUKAWA ?

Tu nous fais un topo d'ici le 25 ?

POUR MOI, C'EST TOUT SIMPLEMENT ...

IL DOIT Y CONSACRER TOUT SON TEMPS...

C'EST LA DERNIÈRE LIGNE DROITE, POUR AYUKAWA

PLUS QUE TROIS JOURS AVANT LA DATE DE DÉPÔT DES DOSSIERS

BYE !

Design Office Cranber

AU REVOIR, BONNE SOIRÉE !

MAIS...

COMMENT PRÉTENDRE L'ÊTRE...

J'AI VRAIMENT FAIT N'IMPORTE QUOI.

KAWANA ?

ALORS QUE JE ME COMPORTE AVEC SI PEU DE NATUREL ?

D'AILLEURS, LUI NON PLUS N'AVAIT PAS ENVISAGÉ CE DÎNER COMME UN RENDEZ-VOUS...

HÊ !

Non, non, ça va.

TU N'AS PAS L'AIR...

DANS TON ASSIETTE...

KAWANA !

AH, EH BIEN...

TU AS BESOIN DE REPOS ? RENTRE CHEZ TOI, SI TU VEUX

J'AIMERAIS BIEN QU'ON RESTE AMIS...

28

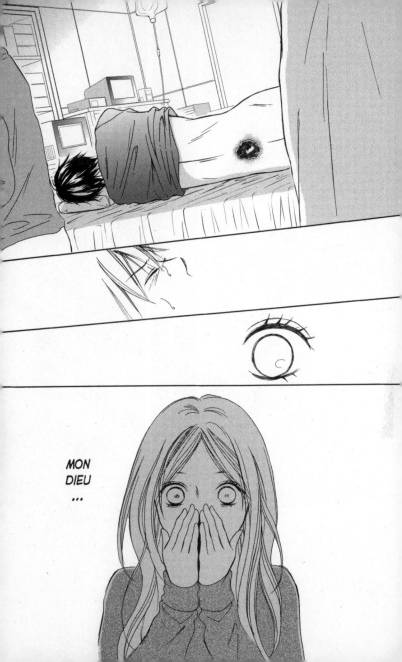

MON
DIEU
...

QUAND J'AI
VU SA CHAIR
MEURTRIE
...

J'AI
RÉALISÉ
QUE
...

JE
N'AVAIS
RIEN
COMPRIS
...

QUE JE NE
CONNAISSAIS
RIEN DE SA VIE
...

AYUKAWA
...

ÇA VA
?

...

NABE VIENT
JUSTE DE
PARTIR
...

KAWANA
?

LE PRÉSENT
...

EST SI DIFFÉRENT
...

DE CELUI QU'ON S'IMAGINAIT VIVRE, À L'ÉPOQUE
...

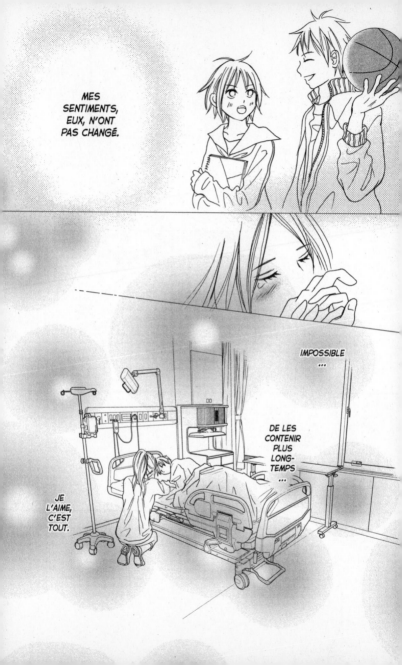

perfect world
aruga ale presents

MON PREMIER AMOUR.

ITSUKI AYUKAWA A ÉTÉ ...

QUAND JE L'AI RETROUVÉ, DES ANNÉES PLUS TARD ...

IL ÉTAIT CLOUÉ DANS UN FAUTEUIL ROULANT.

POURTANT ...

MES SENTIMENTS D'AUTREFOIS ONT RESSURGI D'UN COUP.

CAFÉ CHARLOT

Chapitre
2

Les mots
pour dire
adieu

M. AYU-
KAWA,
JE COM-
PRENDS
VOTRE
PRÉ-
VOYANCE

MAIS MÊME UN
PETIT PERRON
PEUT GÊNER
L'ACCÈS AUX
HANDICAPÉS
...

PAS
BESOIN
...

DE RAMPE
D'ACCÈS,
L'ESCALIER
ACTUEL
SUFFIT

MAIS DE VOTRE
CÔTÉ, COMPRENEZ
QU'IL EST DIF-
FICILE D'ADAPTER
NOS LOCAUX AUX
PERSONNES EN
FAUTEUIL
...

SURTOUT SI
ELLES NE
VIENNENT
QU'UNE FOIS
PAR MOIS
...

C'EST
BON
...

AYU-
KAWA

...

MAIS
...

MERCI POUR VOS REMARQUES

NOUS ALLONS Y RÉFLÉCHIR

UN MOIS APRÈS LE DÉPÔT DES PROJETS ...

L'ÉQUIPE D'AYUKAWA N'A PAS TERMINÉ PREMIÈRE ...

MAIS SECONDE.

JE ME SUIS RETROUVÉE CATAPULTÉE DÉCORATRICE EN CHARGE DU MOBILIER.

DANS LA FOULÉE, SON ÉQUIPE A ÉTÉ DÉMARCHÉE POUR RÉNOVER UN RESTAURANT ET ...

LES MÉDIAS EN ONT BEAUCOUP PARLÉ ET ...

LES PAIRS D'AYUKAWA ONT SALUÉ SON TRAVAIL.

AUDACIEUX ET

ARCHITE MAGAZIN

NUMÉRO SPÉCIAL

UNE JEUNE ÉQUIPE D'ARCHI-TECTES INNOVE DANS LE DESIGN URBAIN

UNE NOUVELLE GÉNÉRATION BOUSCULE LES CONVENTIONS

JE COMPRENDS LEUR POINT DE VUE, MAIS ...

MALGRÉ TOUT ...

C'EST PAS ÉVIDENT, VU LEUR BUDGET

POUR EUX NON PLUS ...

L'IDÉE D'ABANDONNER LES INFRA-STRUCTURES POUR LES PERSONNES À MOBILITÉ RÉDUITE ...

EST UN VÉRITABLE CRÈVE-CŒUR, POUR LUI.

OUI, JE SAIS

C'EST PAS UNE RAISON POUR BAISSER LES BRAS !

HÉ ...

MOI, BAISSER LES BRAS ?

TU ME CONNAIS MAL, NABE !

BLA
BLA
BLA

CINEMA

T'AS VU LE MONSIEUR ?

BLA BLA

BLA BLA

ET TON IDÉE DE REPRENDRE LA PEINTURE ?

ÇA FAIT SON CHEMIN

DEPUIS SON HOSPITALI-SATION...

ON SE VOIT SOUVENT, LUI ET MOI.

HÉ HÉ, C'EST MA SPÉCIALITÉ !

JE CROYAIS QUE TOUTES LES SÉANCES ÉTAIENT PLEINES, POUR CE FILM

COMMENT TU AS FAIT, POUR LES BILLETS ?

T'AIMES LES FILMS TRASH, TOI ?

TING

TSS
...

S'IL VOUS PLAÎT

VOUS POUVEZ VOUS ÉCARTER ? MERCI

NAAAAN

SHIING

AAAARGH

JE DEVAIS ME COMPORTER COMME ÇA MOI AUSSI, AVANT
...

QUEL FARDEAU ÇA DOIT ÊTRE, POUR LUI
...

DES REGARDS ET ATTITUDES GÊNÉS DES GENS.

SORTIR AVEC LUI M'A FAIT PRENDRE CONSCIENCE
...

Euh
...

Et un BBQ après un film sanglant...

TU TROUVES ?

HUM

T'AS DES GOÛTS PARTICULIERS, DIS-MOI

MERCI DE M'AVOIR ACCOMPAGNÉE

C'ÉTAIT MARRANT, NON ?

ET POURTANT, IL N'EN LAISSE RIEN PARAÎTRE.

IL A UNE FORCE DE CARACTÈRE IMPRESSIONNANTE !

BBQ MATSUMOTO

AVOUE QUE C'EST PLUTÔT CHIANT, QUAND JE T'ACCOMPAGNE

TU DEVRAIS VITE TE TROUVER UN MEC, CE SERAIT PLUS FACILE...

C'EST TROP COMPLIQUÉ

POURQUOI ?

NON

C'EST TOI QUI PRÉTENDAIS NE VOULOIR SORTIR AVEC PERSONNE

MAIS...

CE N'EST PAS POUR RIEN QU'AVEC MON EX, ÇA S'EST FINI JUSTE APRÈS L'ACCIDENT

MAIS MOI, JE DEVRAIS TROUVER QUELQU'UN ?! TU AS CHANGÉ D'AVIS ?

C'EST CE QUE L'ON APPELLE L'INCONTINENCE FÉCALE

C'EST UN TRUC TOTALEMENT IMPOSSIBLE À CONTRÔLER

ON ÉVACUE LES SELLES SANS EN AVOIR CONSCIENCE

MA VIE EST REMPLIE DE SITUATIONS DE CE GENRE ...

QUAND ÇA ARRIVE, PAS LE CHOIX, ON DOIT DEMANDER DE L'AIDE

DÉSOLÉE, JE ...

J'AI PARLÉ SANS RÉFLÉCHIR ...

TOI, RIEN NE T'OBLIGE À SUBIR ÇA

ALORS POURQUOI CHOISIR UN HANDICAPÉ ?

BOEUF 5

MARINÉ 5

FOIE

ÇA FAIT BIZARRE DE REVENIR À NAGANO AVEC TOI !

Hé hé

MERCI POUR LA VOITURE, J'IGNORAIS QU'ON POUVAIT ...

EN LOUER UNE ADAPTÉE AUX HANDICAPÉS

C'EST RARE MAIS ÇA EXISTE

DIS-MOI QUAND TU ES FATIGUÉ, QUE JE TE REMPLACE

JE COMPTE M'EN ACHETER UNE, DÈS QUE J'AURAI UN PEU D'ARGENT

O.K.

Tu m'as laissé quelque chose, au moins ?

JE RÊVE OU TU N'ARRÊTES PAS DE GRIGNOTER ?

NON MERCI

THÉ VERT

UN TRUC À MANGER ?

TU VEUX DU THÉ ?

ÇA AVANCE

ET TON PROJET DE RAMPE D'ACCÈS ?

JE ME SENS SUPER INUTILE, D'UN COUP ...

PEUT-ÊTRE QU'IL A PEUR D'ALLER AUX TOILETTES ...

LES CLIENTS SONT O.K. SI ON OPTE POUR UN STYLE ROMANTIQUE

IL NE ME RESTE PLUS QU'À RÉFLÉCHIR !

SALUT, VIEUX !

Depuis le temps !

Hiiii !

TAKITA !

TOUS LES MEMBRES DU CLUB SONT LÀ, ILS T'ATTENDENT

OHÊÊÊÊ !!

KAWA-NAAA !!

BLA

CEUX QUI HABITENT ENCORE NAGANO NE POUVAIENT PAS SE DÉFILER !

OUAIS, ON A CONVIÉ TOUTE LA PROMO

ÇA EN FAIT DU MONDE !

BLA

B LA

BLA

C'EST SÛR ...

CETTE
FILLE,
C'EST
...

ILS SONT RESTÉS ENSEMBLE, APRÈS LE LYCÉE, ET PUIS...

ELLE L'A LARGUÉ QUAND IL A EU SON ACCIDENT

PLOT PLOT PLOT

C'EST MIKI YUKIMURA !

...

L'EX D'AYUKAWA...

JE CROYAIS QU'ELLE NE VENAIT PAS À LA FÊTE...

EST-CE QU'ON PEUT...

PARLER, CINQ MINUTES ?

...

...

EH OUI, JE SUIS LÀ

BONJOUR, ITSUKI

QU'EST-CE QUE TU...

QUELLE DRÔLE DE SOIRÉE...

NON, ÇA N'A RIEN DE "DRÔLE"...

SI VOUS AVEZ DES QUESTIONS, POSEZ-LES-LUI DIRECTEMENT !

C'EST TERRIBLE...

QUAND J'AI APPRIS QUE TU VENAIS, J'AI CHANGÉ D'AVIS

J'ESPÉRAIS TE REVOIR... UNE DERNIÈRE FOIS

JE NE COMPTAIS PAS PASSER MAIS...

...

DÉSOLÉE, JE N'AURAIS PAS DÛ ...

ÇA SUFFIT

LAISSE-MOI

AU REVOIR, ITSUKI, ET PORTE-TOI BIEN

AH ...

CRAC

KAWANA
?

KAWANA
!

TU
...

TE SOU-
VIENS DE
MOI
?

BIEN
SÛR, TU
ÉTAIS SA
GRANDE
COPINE,
AU
LYCÉE

NON
PAS DE
LUI-MÊME
MAIS
...

DU
REGARD
DES
AUTRES

IL M'A
LIBÉRÉE
...

TOUT LE
MONDE CROIT
QUE C'EST
MOI QUI L'AI
QUITTÉ
...

ALORS
QU'EN
RÉALITÉ,
C'EST LUI
QUI A
ROMPU

LA SITUATION EST VITE DEVENUE INTENABLE

HÉLAS, MA FAMILLE N'ÉTAIT PAS D'ACCORD

MAIS J'AI TENU BON, JE VOULAIS TELLEMENT QU'ON RESTE ENSEMBLE ...

JUSTE APRÈS L'ACCIDENT, ITSUKI EST DEVENU INSUPPORTABLE

CE MÉLANGE DE PITIÉ ET DE DÉGOÛT ...

CES REGARDS SUR NOUS, JE NE LES OUBLIERAI JAMAIS

QUE TOUT REDEVIEN-DRAIT COMME AVANT

ET MA LÂCHETÉ ME DÉTRUISAIT

ET PENDANT CE TEMPS, JE NE CESSAIS D'ESPÉRER ...

TU N'IMA-GINES PAS ...

C'EST POUR CETTE RAISON QU'IL EST VENU À CETTE SOIRÉE.

QU'AYUKAWA ESPÉRAIT LA REVOIR.

JE SUIS CERTAINE ...

AU REVOIR, KAWANA

IL AVAIT SÛREMENT DES CHOSES À LUI DIRE ...

C'EST POUR ELLE ...

T'ES SÛRE ?

C'EST MOI QUI CONDUIS

TCHAC

À PLUS, AYUKAWA !

PRENDS SOIN DE TOI

76

CE QU'ELLE
...

EST
BELLE
...

BRAVOO

BRAVOO

FÉLICITATIONS
!

...

AAH
...

"FÊLICITA-TIONS"

"MERCI POUR CE SOURIRE QUE TU M'OFFRES, CE SOURIRE QUE J'AIMAIS TANT !..."

"MERCI"

CE BONHEUR
AURAIT ÉTÉ
LE SIEN.

TU N'ES
PAS SEUL,
AYUKAWA.

SI TU SAVAIS
CE QUE JE
RESSENS,
À CET INSTANT
...

SANS CET
ACCIDENT
...

RENTRONS
À TOKYO
!

VIENS

ON
BOUGE

DÈS NOTRE RETOUR, IL S'EST PLONGÉ DANS UN NOUVEAU PROJET.

J'IGNORE OÙ ME MÈNERONT MES SENTIMENTS.

MAIS CE QUI EST SÛR, C'EST QUE CHAQUE JOUR ...

JE REMERCIE LE DESTIN DE L'AVOIR À NOUVEAU PLACÉ SUR MON CHEMIN.

GRANDIT UN PEU PLUS.

ET CHAQUE JOUR, MON AMOUR POUR LUI ...

perfect world
aruga aie presents

...

ET MER- DE !

STAC

LES PERSON- NES QUI ONT SUBI UNE AMPUTATION CONNAISSENT BIEN CE PHÉNOMÈNE ...

C'EST LE MÊME GENRE DE SOUF- FRANCE INDESCRIP- TIBLE ...

COMME SI MES JAMBES SE RAPPELAIENT À MON SOUVENIR.

PARFOIS ...

CE QU'ON APPELLE "UNE DOULEUR FANTÔME" M'ASSAILLE ...

GNN

GNN

GNN!!

PSSSH...

LA NUIT PROMET ...

D'ÊTRE RUDE ...

Chapitre
3

souffrances
cachées

OUAAAH

OUAAAH

AU PRINTEMPS DE L'ANNÉE DE TERMINALE ...

LE CLUB DE BAS-KET DU LYCÉE EST POUR LA PREMIÈRE FOIS ARRIVÉ EN FINALE DU TOURNOI RÉGIONAL.

ILS N'ONT PAS DÉCROCHÉ LE TITRE MAIS ...

FINALEMENT, QU'IL SOIT DEVENU ARCHITECTE MALGRÉ SON LOURD HANDICAP ...

N'A RIEN D'ÉTONNANT.

AYUKAWA S'EST BATTU JUSQU'AU BOUT.

ILS ONT DONC BESOIN DE RÉNOVER LEUR MAISON

JE VOIS...

HANDI-CAPÉ MOTEUR

LEUR FILS A EU UN ACCIDENT ET IL EST DEVENU...

CE SONT DES AMIS DE CLIENTS

UNE MAISON, TU DIS ? POUR L'ACCE-SSIBILITÉ ?

ET ILS NOUS ONT CONTACTÉS

C'EST ÇA

OUI ET... ON A TOUT DE SUITE PENSÉ À TOI... VU TON EXPÉRIENCE ET TES COMPÉTENCES...

TU NOUS SEMBLAIS LE MIEUX PLACÉ POUR RÉPONDRE À LEUR DEMANDE

Faah

...

À PART ÇA...

JE SUIS PARTANT...

À CONDITION D'OBTENIR L'ACCORD DE MA BOÎTE

ÇA TE DIT, QU'ON MANGE ENSEMBLE ?

C'EST VRAI ?

AH MERCI !

93

ET MOI
...

SERAIS-JE
CAPABLE DE
M'OCCUPER
DE LUI
?

JE COMMENCE
TOUT JUSTE À
ENTREVOIR
...

CE QUE ÇA
IMPLIQUE DE
VIVRE AVEC UNE
PERSONNE
HANDICAPÉE.

ILS ONT
L'AIR
HEUREUX
...

PEUT-ÊTRE
QU'AYUKAWA
ET MOI
...
ON POUR-
RAIT DEVENIR
COMME EUX
?

MAIS C'EST
SANS DOUTE
QUE JE MANQUE
DE CONFIANCE
EN MOI.

QUAND JE
SUIS AVEC LUI,
PARFOIS, JE
NE SUIS PAS
TRÈS À
L'AISE
...

LES
GENS DE
L'AGENCE
SONT
ARRIVÊS

HARUTO
!

HARUTO
!!

BON-
JOUR

MERCI
D'ÊTRE
VENUS
!

JE VOUS
EN PRIE,
ENTREZ
!

VOUS ENVISAGEZ...

DE METTRE UNE MARCHE ?

Passe-moi le classeur, s'il te plaît.

CE QUI IMPLIQUE UN DÉCALAGE DE UN À DEUX CENTIMÈTRES

LE FAIT DE RESTER IMMOBILE NOUS REND PLUS SENSIBLES AU FROID

JE VOUS CONSEILLE LE CHAUFFAGE PAR LE SOL, POUR L'HIVER

LES HANDICAPÉS AUSSI S'ADAPTENT

L'ACCESSIBILITÉ NE VEUT PAS DIRE ENLEVER TOUS LES OBSTACLES

VU SON HANDICAP, VOTRE FILS DEVRAIT TRÈS BIEN S'EN SORTIR

...

AH, JE ... JE COMPRENDS

HARUTO ? ON PEUT SURMONTER SON HANDICAP ET FAIRE CE QU'ON VEUT DANS LA VIE !

TU ENTENDS...

OUI EN EFFET...

VOUS...

VOUS ÊTES DEVENU ARCHITECTE APRÈS VOTRE ACCIDENT, C'EST BIEN ÇA ?

COMME CE MONSIEUR ! TOI AUSSI, TU...

C'EST FORMIDABLE !

97

FAITES COMME VOUS VOULEZ

...

DE TOUTE FAÇON, JE M'EN FOUS

ON A BESOIN DE TOI, POUR TRANSFORMER TA MAISON

IL N'ARRÊTE PAS ...

C'EST-À-DIRE ?

JE ... JE SUIS NAVRÉE ...

MON FILS ...

N'ARRIVE PAS À ACCEPTER SON ÉTAT

MOI, JE PENSE QUE RIEN NE SERT DE S'APITOYER SUR SON SORT

DE RÉPÉTER QU'IL NE POURRA PLUS JAMAIS MARCHER

QU'IL RESTERA CLOUÉ À VIE DANS SON FAUTEUIL

JE REVIENS VOUS VOIR DÈS QUE J'AI AVANCÉ

QU'IL REPRENNE CONFIANCE EN LUI ...

J'AIMERAIS TANT ...

J'AIMERAIS QU'IL RÉUSSISSE À SURMONTER CETTE ÉPREUVE, À EN FAIRE UNE FORCE ...

COMME VOUS, M. AYU-KAWA

MERCI ! MERCI INFINI-MENT !

NOUS SOMMES LÀ POUR RÉNOVER SA MAISON

EUH ... NON

VOUS ÊTES DES AMIS DE HARUTO ?

OH !

CLAC

TAp

COMME VOUS ÊTES EN FAUTEUIL ...

J'AI CRU ...

ET TOI ?

OUI MAIS ÇA FAIT DÉJÀ UN AN

VOUS NE TROUVEZ PAS ÇA CRUEL, DE ME FUIR COMME ÇA ?

HÉLAS, UN TEL BOULEVERSEMENT N'EST PAS FACILE À ACCEPTER...

JE SUIS SA PETITE AMIE

MAIS IL REFUSE DE ME VOIR, DEPUIS L'ACCIDENT

TIENS ?

ELLE L'ATTEND DEPUIS UN AN ?!

OUI, ET HARUTO ÉTAIT LEUR CHAMPION !

DÈS LA PREMIÈRE ANNÉE, IL A ÉTÉ SACRÉ MEILLEUR JOUEUR DE L'ÉQUIPE !

Hé hé

MAIS C'EST UNE EXCELLENTE ÉQUIPE !

TEINAN ?!

Impressionnant !

AH !

CE PANIER DE BASKET...

HARUTO FAISAIT PARTIE DU CLUB DE BASKET DU LYCÉE TEINAN

AU POINT QU'IL COMPTAIT MÊME DEVENIR PROFESSIONNEL...

Gloups

JE M'EN VAIS, LÀ !!

BON, HARUTO !!

MAIS JE REVIENDRAI, HEIN !!

ÇA ME RASSURE, DE VOUS SAVOIR ICI

LA RÉNOVATION DE LA MAISON NE POURRA QUE LUI FACILITER LA VIE

...

ASSUMER SON HANDICAP ...

GATANG

GATANG

AH ...

LA JEUNESSE ...

C'ÉTAIT DUR

J'AI MIS DEUX MOIS AVANT DE RÉUSSIR À METTRE MES CHAUSSURES TOUT SEUL

ET POUR TOI ? ÇA S'EST PASSÉ COMMENT ?

JUSTE-MENT...

GATANG

GATANG

GATANG

C'EST TERRIBLE, DE SE VOIR PRIVÉ DE SA LIBERTÉ DE MOUVEMENT...

D'AUTANT PLUS QUAND ON EST SPORTIF

MAIS...

SA MÈRE ET SA PETITE AMIE AUSSI SOUFFRENT...

OUI...

EN-FIN...

J'Y AI PENSÉ MAIS...

AH ?

HUM PAS SÛR...

POURQUOI TU NE LUI RACONTES PAS CE QUE TU AS VÉCU ?

TU NE CROIS PAS QUE ÇA L'AIDERAIT ?

ZUT

J'AI ENCO-RE GAFFÉ, ON DIRAIT...

Faah...

108

OUI ENFIN ...

RIEN NE DIT QU'IL ACCEPTE DE VENIR ...

DE L'EMMENER AU BASKET !!

COMME C'EST GENTIL ...

SI, IL VIENDRA !

DAM

DAM

IL A FALLU ATTENDRE LE LYCÉE POUR QU'IL DAIGNE ENFIN ME REGARDER !

MAIS LUI, UN SEUL TRUC L'INTÉRESSAIT, ET C'ÉTAIT LE BASKET

JE L'AIME DEPUIS TOUJOURS, VOUS SAVEZ

!!

ALORS FRANCHEMENT, ÇA M'ÉTONNERAIT QU'IL SE DÉFILE, AUJOURD'HUI !

JE VOUS PRÉVIENS !

Ha ha ha

JE SAIS

C'EST JUSTE UN ESSAI

JE REGARDE, C'EST TOUT !

MIEUX VAUT
LAISSER
TOMBER.

COMMENT
JE
...

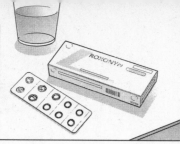

ET IL S'EST PASSÉ QUELQUE CHOSE DE SURPRENANT.

CE SOIR, JE N'AI PAS PRIS D'ANTALGIQUES ...

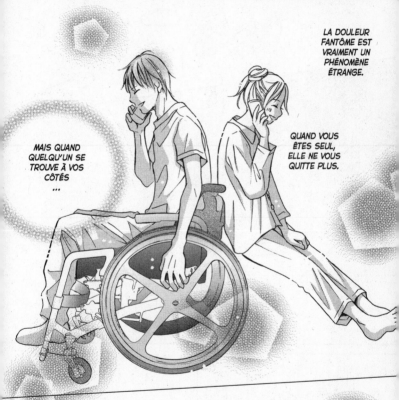

LA DOULEUR FANTÔME EST VRAIMENT UN PHÉNOMÈNE ÉTRANGE.

MAIS QUAND QUELQU'UN SE TROUVE À VOS CÔTÉS ...

QUAND VOUS ÊTES SEUL, ELLE NE VOUS QUITTE PLUS.

PETIT À PETIT ...

ELLE S'ESTOMPE ...

MYSTÉRIEUSEMENT ...

DANS MON ENFANCE, J'EXPIRAIS FORT, TANT ÇA M'AMUSAIT.

DÉCEMBRE. DANS LE FROID, NOS SOUFFLES FORMENT DES NUAGES DE BUÉE, MASQUANT LE MONDE ALENTOUR.

MAMAN TROUVAIT ÇA DÉSAGRÉABLE, ALORS ELLE ME GRONDAIT.

DU PLUS LOIN QUE JE ME SOUVIENNE, J'AI TOUJOURS AIMÉ CETTE SAISON.

ET CETTE ANNÉE, JE LA VOIS ENCORE DIFFÉREMMENT.

Chapitre 4

POUR LES JEUX OLYMPIQUES ?

NABE M'A CONSEILLÉ DE POSER MA CANDIDATURE

ENFIN, POUR UNE PARTIE DU BÂTIMENT DÉDIÉ AUX SPORTS PARALYMPIQUES

OUI

JE L'ACCOMPAGNE SOUVENT, MÊME SI ...

AYU-KAWA NE S'ARRÊTE JAMAIS ...

MÊME LES JOURS DE REPOS, IL SE REND À DES CONFÉRENCES CONSACRÉES À L'ARCHITECTURE.

ÇA ME TENTE VRAIMENT

J'AI DÉJÀ DES TONNES D'IDÉES !

C'EST HYPER MOTIVANT, COMME MISSION

IL EST SI PASSIONNÉ ET SINCÈRE DANS SON TRAVAIL, PLUS QUE BEAUCOUP D'AUTRES...

QUAND ON EST ENSEMBLE, IL M'ARRIVE D'OUBLIER QU'IL EST HANDICAPÉ.

AUTRE-MENT DIT, C'EST LOIN

MAIS C'EST POUR 2020

Hi hi

ET CETTE NUQUE...

TSUGUMI KAWANA, ELLE TRAVAILLE AVEC MOI, ON ÉTAIT DANS LE MÊME LYCÉE

JE TE PRÉSENTE...

SA MÈRE ?!

Elle fait drôlement jeune !

OH !

ENCHANTÉE, MERCI POUR VOTRE SOUTIEN ! JE SUIS RAVIE DE VOUS RENCONTRER !

AH D'ACCORD

EUH NON

ON N'A JAMAIS ÉTÉ DANS LA MÊME CLASSE

ON S'EST DÉJÀ CROISÉES, PEUT-ÊTRE ?

UNE AMIE DU LYCÉE ?

PLUTÔT VOTRE FILS, QUI ME SOUTIENT !

MOI DE MÊME ! ET C'EST...

MAIS QUAND MÊME, IL Y A PLUS DE CHOIX À TOKYO !

OUI QUEL DÉLIIIICE !

QUEL RÉGAL !!

OUIII, LE CHEESE-CAKE DE MARUYAMA !!

VRAIMENT ?

COMME C'EST GENTIL !

ON ÉCHANGE NOS E-MAILS ?

JE VOUS EN APPORTE CE SAMEDI !

LE BAUMKUCHEN# DE CHEZ FUTAYA ME FAIT TRÈS ENVIE, AUSSI !

*Gâteau à la broche des régions montagneuses d'Europe, réalisé en versant une pâte liquide type quatre-quart sur une broche tournée au-dessus d'un feu de bois.

MAIS SI !

NON, PAS SPÉCIALEMENT

TU ES VRAIMENT GENTIL...

CROC CROC

ON PEUT ALLER LUI ACHETER CE QU'IL LUI FAUT, SI TU VEUX

APRÈS, ON L'EMMÈNERA CHEZ LE VÉTÉRINAIRE

JE TE DONNERAI UN COUP DE MAIN

ON A EU UN CHAT, QUAND J'ÉTAIS PETITE, J'AI DONC PLUS D'EXPÉRIENCE QUE TOI

O.K.

ON SE RETROUVE DANS TA CHAMBRE ?

M. AYUKAWA

LE DOCTEUR VOUS ATTEND

VOUS VOUS EN ÊTES BIEN SORTI !

MAIS FAITES ATTENTION, CAR À LA PROCHAINE ALERTE, VOUS ÊTES BON POUR LA DIALYSE*

*Procédé de filtration du sang utilisé quand les reins n'assurent plus correctement cette fonction.

ITSUKI
...

PROMETS-MOI DE M'APPELER, AU MOINDRE SOUCI

PASSE LE BONJOUR À TON MARI DE MA PART

MERCI, MAMAN

RENTRE BIEN

OUI
...

PARDON, MAMAN

JE VAIS FINIR MALADE D'INQUIÉTUDE. TU COMPRENDS ?

SI TU PERSISTES À NE PAS ME TENIR AU COURANT
...

CETTE FOIS ENCORE, J'AI APPRIS PAR HASARD QUE TU N'ALLAIS PAS BIEN. SI JE NE T'AVAIS PAS CONTACTÉ
...

TU NE M'AVAIS RIEN DIT, POUR TON ESCARRE
...

TU CROIS QUE TON SILENCE M'EMPÊCHE DE ME FAIRE DU SOUCI, MAIS C'EST LE CONTRAIRE

RRr

RRr

IL EST DEVENU TRÈS EXIGEANT ENVERS LUI-MÊME

CETTE PRISE DE CONSCIENCE L'A RENDU CALME ET DISTANT
...

ET SURTOUT
...

B/A

B/A

LES REINS NE FONCTIONNENT PLUS ET LE CORPS NE PEUT PLUS ÉVACUER LES TOXINES

?

EXPLI-QUEZ-MOI

QUELQUE CHOSE DE PLUS GRAVE, QU'ON APPELLE L'INSUFFISANCE RÉNALE

CE QUI VIENT DE LUI ARRIVER EST LE DÉBUT DE
...

ENFIN
...
PAS DIREC-TEMENT

CE N'EST PAS LE FAIT D'ÊTRE EN FAUTEUIL QUI VOUS TUE
...

ET LÀ, SA SANTÉ SERAIT EN DANGER

150

PAR CONTRE ...

LES COMPLICATIONS QUI EN RÉSULTENT PEUVENT TUER, ELLES

VOILÀ POURQUOI, AUTREFOIS, ON ESTIMAIT QUE LE HANDICAP RÉDUISAIT L'ESPÉRANCE DE VIE

PAR RAPPORT AUX PERSONNES VALIDES, LE RISQUE DE DÉCÈS DÛ À UNE INSUFFISANCE RÉNALE AUGMENTE CONSIDÉRABLEMENT CHEZ LES GENS DONT LA MOELLE ÉPINIÈRE EST ENDOMMAGÉE

" ... MAIS C'EST PAS TRÈS GRAVE"

CE JOUR-LÀ, J'AI CRU AVOIR FAIT LE PLUS DIFFICILE...

MAIS JE ME TROMPAIS.

LE BONHEUR DE CE SOIR D'HIVER...

N'ALLAIT PAS DURER.

PERFECT WORLD 1 / FIN

Bonjour à tous, je suis Rie Aruga.
Merci infiniment d'avoir lu ma toute première œuvre
publiée en volume relié !
Au départ, ce récit était prévu pour ne constituer qu'un
one shot. Mais grâce au très bon accueil des lecteurs,
c'est devenu une série.

J'espère évoluer autant que mes personnages le feront
eux-mêmes.
Et j'espère surtout que cette histoire vous plaira.

Rie Aruga

Je tiens à remercier tout particulièrement :
• Abe Kazuo, de SARL Abe Construction
• Yaguchi, Sato, Tomomi, K.
• Ito (responsable éditorial), les employés du magazine Kiss
• Le graphiste Kusunome, mes assistants : T., K., S.
• Ma famille, mes amis, toutes les personnes qui ont permis
la publication de cet ouvrage, ainsi que tous ses lecteurs.

EN PROIE AU SILENCE

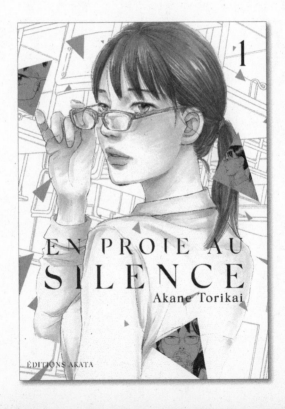

Bless You

Collection : Medium - Prix : 6,99 €
Série en 5 tomes.

AROMANTIC (love) Story

Collection : Large - Prix : 6,99 €
Série en 5 tomes.

Collection : Large - Prix : 6,99 €
Série en cours.

Perfect World

© 2016 ÉDITIONS AKATA pour la présente édition
Dépôt légal : octobre 2016.
I.S.B.N. : 978-2-36974-104-6
Cinquième édition
Akata – 5, place Georges Bonnet – 87290 Rancon (France)

Traduction : Chiharu Chûjo
Adaptation : Nathalie Bougon
Lettrage : Marianne Saintrapt
Logo et couverture : Clémence Aresu
Correction orthographique : Laura Negro (Akata)

Imprimé en Italie en décembre 2019 par LEGO Print.
Diffusion : Interforum

www.akata.fr
www.akazoom.fr